生活是碗湯
我手裡只有叉子

覺得emo、覺得不想努力、覺得我是一個可愛的小廢物

一天到晚氣fufu／著

世界很浮躁，生活很難如願，但我願意慢慢來。

想辦法讓自己開心。

思念易碎，只能在夜深人靜的時候輕輕放出來。

放手。

這輩子能做好一個人，就已經很了不起了。

這個世界，每個人都很匆忙。
所以，你要抽時間擁抱自己。

幸好，我還有音樂。

生活很複雜，有時候乖乖做個笨蛋就好。

找到一個可以心安理得
吃垃圾食品的理由——

就是把自己也當成小垃圾。

新計畫表
從明天開始5:30起床
每天跑步5公里，速寫20張
不吃零食，不喝可樂
不叫外送，不熬夜
……

第二天早上

昨天的我是想造反嗎？

新計畫──睡覺。

為什麼我總是看起來無所事事？

如果放屁能賺錢的話，我肯定已經富可敵國了。

我們終究要與生活和解。

每天都在自信和自卑之間反覆橫跳。

啊！

天氣好的時候呢，

就要多收集一些陽光。

下次心情不好的時候，
就可以拿來用啦。

累了，就放空一下。

倔強抬起頭，不讓雙下巴往下流⋯⋯

兩個小時後……

100%

拔了

現代人每晚睡前的翻身運動。

一朵花只有一個夏天，一個夏天卻有很多花。

—— D.H.Lawrence

今天看到一句話，
覺得有被療癒到。

「永遠不要覺得自己一無是處，
只要你在呼吸，就能提供植物
生存所需的二氧化碳。」

身為植物，我覺得這句話
有另一個解釋。

「連呼出的廢氣都要植物幫忙分解，
你真是一無是處呢……」

別說了，謝謝。

「因為到了某個年紀，就應該如何如何……」
我偏不，宇宙會爆炸嗎？

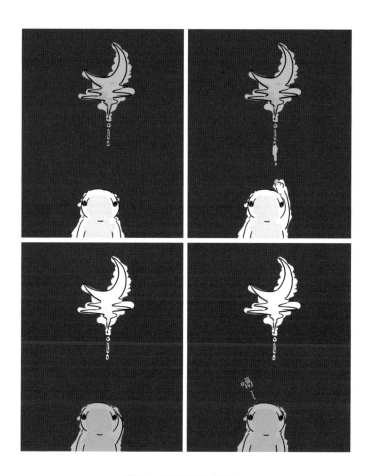

嚐了一口月亮的味道，
被灌入滿滿的思念。

「經常翹二郎腿會導致O型腿，對脊椎造成不良影響，引起腰椎的退化性病變……」

可是這個習慣真的好難改！設個鬧鐘每隔10分鐘提醒自己？

噢，我的孩子，該吃就吃，該喝就喝，煩惱很快就沒了。

您的意思是順其自然，好習慣也會水到渠成的養成嗎？

感謝那些能隨時察覺你情緒變化的人。

送你一個 **刪除鍵**

把今天的不愉快通通刪除吧！

我的表面狀態

悠然自在
歲月靜好

實際上

今天
未完成的事

我每天都覺得不快樂……

調整好心態，會好的。

這世上可能沒人比我更孤單了……

一個人也很幸福，會好的。

每天做著自己不喜歡的工作，
什麼時候能結束呢……

堅持下去，會好的。

會好嗎？

比慘是最好的安慰方式？

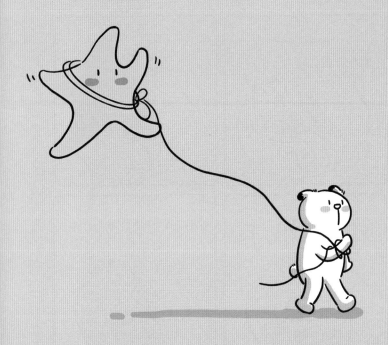

想要趁月亮媽媽不注意，偷一顆星星抱回家。

自助購物是對社恐最大的溫柔。

有時候只想做條鹹魚，
一直這麼發呆。

在這個世界停止就等於後退，
無產出終將會被世界淘汰。

大自然每天都在為
這個世界無窮無盡地付出，
最後千瘡百孔。

敬這個世界。

睏意就是一種玄學。

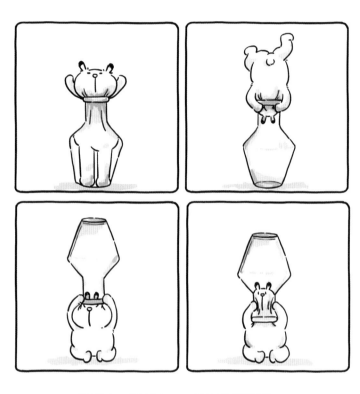

進不去，出不來——該死的瓶頸期。

假期就像腳上的襪子，
只不過是在被窩裡翻幾個身就離我而去了。

分享快樂不一定能得到雙倍的快樂。

我和我的手機，一刻也不能分開。

生活是碗湯，而我手裡只有叉子。

每一次美妙的發呆，都會因為想起一件糗事戛然而止。

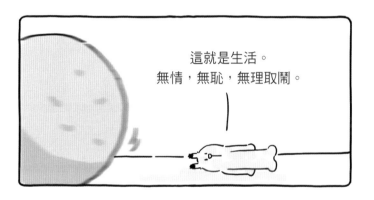

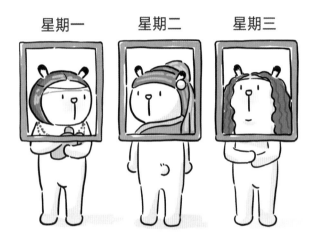

星期一　　　星期二　　　星期三

既然每天都要戴面具，那為什麼不選一個最美的？

想念小時候的月光，和那些在月光下許的願望。

有時候，捨與不捨就在自找麻煩之間。

去年的衣服怎麼又瘦了？！

別大驚小怪的，我只是長大了。

你得允許某些人成年以後還會長大。

落葉是秋風送給人間的明信片。

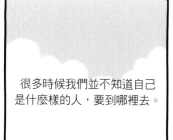

很多時候我們並不知道自己是什麼樣的人，要到哪裡去。

但每當我坐在公車靠窗的位置……

然後戴上耳機……

我就是偶像劇裡面的苦情女主角。

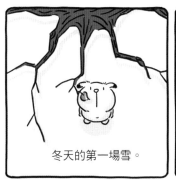

冬天的第一場雪。

帶走了秋天的最後一片葉子。

但是當我抬起頭，突然發現：

我還能看見這麼好的藍天。

四季來了又走，總有些什麼從沒離開過。

週末

希望在厭倦漂泊過後，有人願意等你回家。

又是一個無所事事的週末……

做點什麼來彌補一下呢？

有了！

無所事事＋美食＝完美假日

世間盡是被困的靈魂。

每當夕陽西下，我總是會莫名其妙地感傷。

為什麼我只是一個漫畫形象，沒有自我意識，甚至沒有絕對的自由⋯⋯

只能永遠困在一個又一個的格子裡。不過，其實仔細想想⋯⋯

你又何嘗不是呢？

每當我睏意來襲，
準備睡覺時……

膀胱：我想尿尿。

胃：我想吃宵夜。

大腦：小學二年級星期三
音樂課上完廁所你裙角
一直塞在內褲裡……

今天好早睡啊。

是不是得獎勵一下自己呢⋯⋯

就獎勵玩兩個小時手機好了。

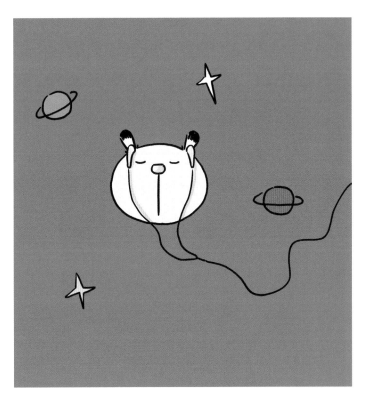

耳機是成年人隔絕外界的唯一幫手。

週末還宅在家，一定是累了吧。
要不要我幫幫你？

好啊。

能量滿了，你就可以
做任何你想做的事了。

HP

所以，你想做的事
就是宅在家裡。

人類是很固執的生物，
他們總是堅信一些錯誤的想法。

比如，他們是世界上
最聰明的物種。

再比如，金錢
可以換來一切，還有……

還有什麼？

還有：多吃一口是不會胖的。

花了一天時間讀完一本書，感覺好像沒有獲得預期的收穫。

我是說我沒有像很多書評說的那樣被洗禮，或者⋯⋯大徹大悟的感覺。

讀書一定要有收穫嗎？

那寫書的人該多痛苦。

人生就是這樣，一個絕望加一個希望的反反覆覆，都是尋常。

沒有堅持，就沒有所謂迷失。

沒什麼，誇我可愛就好了。

沒什麼特別的意思，
稱讚我超可愛就可以了。

累了就要休息。

世界上每天有那麼多無緣無故消失的事物，
為什麼不能是我的肥肉？

路上不知名的小花。

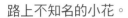

天冷時一杯熱熱的奶茶。

偶然看到的療癒漫畫。

生活有這麼多美好的事物，
你為什麼一定要讓自己苦苦的？

感覺肚肚又長肉了⋯⋯

不能再吃了！！！
減肥計畫是時候要開始了。

可是不能隨便吃喝的
人生又有什麼意義呢？

算了，也不能
好心情和好身材都給我吧。

疲勞乏力

睏到窒息

意識迷離

萬惡的星期一

你有多久沒有抬起頭看星星了。

最近漫畫受到
好多讀者的喜歡。

難道我真的是個
漫畫小天才？

盲目自信過頭了⋯⋯

自信值減減減 ——

吸塵器吸過的地方真的好乾淨啊，一塵不染。

可是它體內也會被垃圾填滿。

我是說，請珍惜那些能讓你開心的人。

也許他們自己就不開心。

別擔心，我們還有很多以後。

當我忙得不可開交時：

真想去旅行看電影逛街
做運動練琴啊！

當我終於閒下來時：

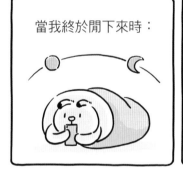

躲被窩玩手機不好嗎？

一蓑煙雨任平生

——蘇軾〈定風波〉

我總是一個人⋯⋯

月亮也總是一個⋯⋯

所以，這世界並不是只有
我一個人孤單。

來來來，
放音樂，跳起來！

小時候的夢想是
當個科學家。

或是當個畫家。

現在只想當個廢物
宅在家……

那恭喜你了，
你現在就是個廢物。

人類能在浩瀚無邊的宇宙中找到任意一個行星，
但永遠找不到膠帶的頭在哪。

週末：買很多菜把冰箱冰滿。

週一到週五：叫外送。

下週末：把壞掉的菜丟掉，
　　　　再買一批新的放進去。

不斷循環，至死方休。

其實也可以「沒事」。

別停留。

「您已偏離路線，請在合適的地方掉頭。」

生活就是這樣，在哪裡跌倒，
就要在哪裡爬起來。

這就是生活。

真是充實的一天呢。

孤獨＝擁有全部的自己。

所謂同情，就是如果換做是我，這樣可不行。

成長就是，有一天你穿上媽媽的高跟鞋，忽然發現正合腳。

每當我想要工作的時候……

就會突然發現桌子好亂。

整理好書桌後又看見角落的盆栽好像需要澆水了。

澆完水後看見植物漂亮的樣子就好想拍下來上傳到社群平台上。

分享完照片後就不自覺滑了幾下手機，原來喜歡的綜藝今天更新了。

於是開始看⋯⋯

直到夜幕降臨。

我原本要幹嘛？

嗯，該叫外送了。

這偌大的城市有時候讓人無法理解，
所以我選擇偶爾躲在自己的小世界裡。

成長總會教我們放棄依賴，學會享受孤獨，
儘管這個過程有時並不值得感恩。

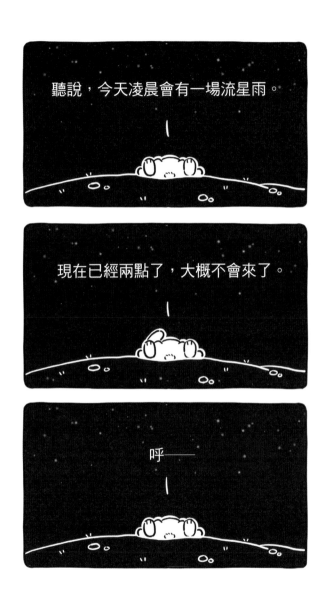

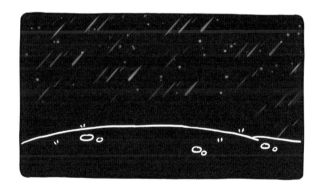

這世界紛紛擾擾，浮華萬千，
總是讓人迷茫……

不確定以前的努力是否值得……

不確定未來等待著的又是什麼……

但有一件事我十分確定：

床，是世界上最舒服的地方。

我一直覺得自己是個合群的人。

別人吃火鍋，喝奶茶；
我也吃火鍋，喝奶茶。

別人宅在家追劇，吃洋芋片；
我也宅在家追劇，吃洋芋片。

但為什麼別人還是那麼瘦，
我卻長了一身肉！

上天為什麼要這樣對我這個
合群的小可愛……

平靜海面上孤獨旋轉的燈塔，它在凝視這個世界。

當我想讀書時的環境要求：

舒適的沙發

甜甜的奶茶

午後的陽光和
窗外的花

當我想要玩手機時——

沒有任何要求。

現代人每日靈魂三問──

早起：到底什麼時候能退休？

中午：午餐要吃什麼？

睡前：要不要去尿個尿？

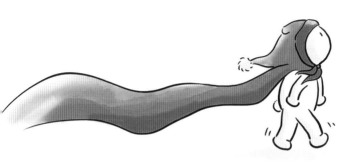

每個人生來都不同，
我們不必全部理解，
只要互相尊重就好。

這段時間的感覺，就像拎著
兩大袋東西從超市走回家的路上。

雙手被袋子的重量勒得很痛，但又不能放下。

暗自責怪自己，為什麼不自量力買了這麼多呢？

最終的結果當然是
順利到家，癱在沙發上猛灌一口可樂。

「其實生活不過如此，而我不止如此。」

所以，請加油吧。

我已經沒有多餘的精力
去跟誰傾訴我的不開心。

需要縱情享受孤獨，
但偶爾也需要被關心。

好想事事完美，但是
無法戰勝拖延症和懶惰。

無數次跟自己說順其自然吧，
但又覺得好像還不到時候。

這些矛盾掙扎
快要把我壓爛了……

你不必每天都開心，
事事都完美。

我是說：
生活是很寬容的。

當你需要的時候，
可以沮喪一下。

我還需要再沮喪五分鐘，你可以走開嗎？

一下子就好，讓我一個人。

很多人就像玻璃一樣，透明存在著，
只有再破裂的時候才會變得清晰可見。

連續工作幾天。

好累，我要休息一下。

那你打算休息到什麼時候？

大概是下輩子。

塔搭！恭喜自己又度過了
開心的一天。

可是今天好像也沒什麼
值得開心的……

那就慶祝自己度過了
雖然沒什麼開心事但也
沒煩惱的一天！

這麼一說其實今天也
蠻糟的……

那就慶祝自己馬上
就要度過這糟糕的一天，
準備迎接新的一天！

新的一天……
就會變好嗎？

當然！

包括我的悲觀主義？

只要知道心往何處，世界就是平靜的。

總是會收到一些讀者對於
未來的煩惱和擔憂。

問我該如何解決。

可以預支薪水，
但別預知煩惱。

認真對待當下這一秒就好。

等煩惱來了再煩惱。

你說好不好？

生命中的每一天都值得用力開心，
不要未曾綻放，就已適應凋零。

浪費萬歲。

噢，掉了一根睫毛。

趕快許願——
希望我的人生都能逆轉。

我在漫天星光裡看見了自己的倒影，那是童年的模樣。

結束了一天的疲憊。

舒服地躺在床上，
窗外下著淅淅瀝瀝的小雨。

身旁的貓睡得正甜。

這樣的日子，
我可以再過一百年。

停止再做傷害自己的事，
愛別人之前請先愛自己。

別怕，我還可以再陪你一下喔！

如果光忘了要將前路照亮，你會握著我的手嗎？

——毛不易〈無問〉

書上說要樂觀，
生活不會一直壞下去。

今天不好，還有明天。

明天不好，還有後天。

後天不好，還……

後天不好，還有下輩子。

每當我坐在馬桶上，靈感就會噴湧而出。
可能是因為排泄掉了昨天無聊的煩惱。

我以為最好吃的生日蛋糕，　就是在非生日時吃的蛋糕。

因為它不會提醒我又老了一歲，
只要安心享用就好了。

但它和生日蛋糕一樣
能讓你長肉。

我知道，

我在偷偷變強。

即使那好像，

是一個錯誤的方向。

但我還是一塊合格的脂肪。

給我閉嘴吧。

未來的自己啊，請你抽空穿越回來告訴我：
到底還要堅持多久？

每當週末夜晚……

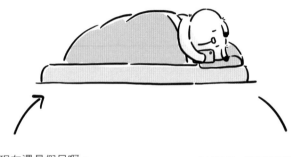

但現在還是假日啊。

該睡了，明天還要上班。

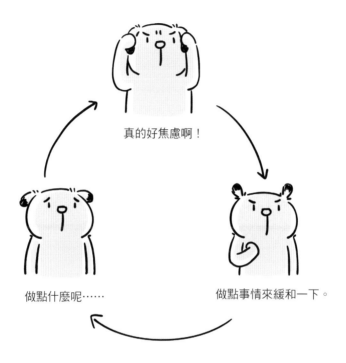

真的好焦慮啊！

做點什麼呢……

做點事情來緩和一下。

如果住在天上，是不是每個人都可以擁有一片雲朵？

前兩天
好像有點打不起精神⋯⋯

所以這個週末快樂一些。

舒服⋯⋯

閉嘴！不准打擾她。

週一

你在幹嘛？

裝死。

有時候就需要像這樣一頭栽下去……

讓生活以為我被它打倒了。

然後它就會暫時放過我……

甚至對我產生一絲同情……

「假如人類欺騙了你，不要悲傷，
不要心急，第二天進行加倍打擊……」

祝你快樂，不快樂也可以。

大多數時候我的情緒很穩定。

我的情緒

比如等了二十分鐘公車才來。

我的情緒

比如早上起床發現垃圾桶
被貓翻得亂七八糟。

我的情緒

比如今天的貼文沒幾個人按讚，
點閱率低得可憐。

我的情緒

興致勃勃地傳了
一大段文字訊息⋯⋯

我的情緒

對方回覆「喔」。

我的情緒

喔。

我的情緒

喔！！！

我的情緒

你知道，其實你蠻可愛的嗎？

不知道的話，
我已經偷偷告訴你了。

與其讓一顆心
七上八下地胡思亂想……

不如一頭鑽進自己的熱愛裡。

做自己比「標籤」更重要。

你聞到了嗎？

空氣中有一股親切的味道
正在慢慢消散……

是假日的味道。

還有一股味道
正在慢慢逼近……

我們回來啦！

小時候

現在

最後，
有一個很重要的事情要告訴你。

就是……你真的很棒，很好。

還有……

晚安，明天見。

明天又是新的一天。

大人國 16

生活是碗湯，我手裡只有叉子

作　　者 —— 一天到晚氣 fufu
副 主 編 —— 朱晏瑭
封面設計 —— 初雨工作室
內文設計 —— 林曉涵
校　　對 —— 朱晏瑭
行銷企劃 —— 蔡雨庭

總 編 輯 —— 梁芳春
董 事 長 —— 趙政岷
出 版 者 —— 時報文化出版企業股份有限公司
　　　　　　108019 臺北市和平西路 3 段 240 號
　　　　　　發 行 專 線 — (02)23066842
　　　　　　讀者服務專線 — 0800-231705、(02)2304-7103
　　　　　　讀者服務傳真 — (02)2304-6858
　　　　　　郵　　　撥 — 19344724 時報文化出版公司
　　　　　　信　　　箱 — 10899 臺北華江橋郵局第 99 信箱
時 報 悅 讀 網 —— www.readingtimes.com.tw
電 子 郵 件 信 箱 —— yoho@readingtimes.com.tw
法律顧問 —— 理律法律事務所 陳長文律師、李念祖律師
印　　刷 —— 和楹印刷有限公司
初版一刷 —— 2024 年 3 月 22 日

定　　價 —— 新臺幣 350 元
（缺頁或破損的書，請寄回更換）

時報文化出版公司成立於 1975 年，並於 1999 年股票上櫃
公開發行，於 2008 年脫離中時集團非屬旺中，以「尊重智
慧與創意的文化事業」為信念。

ISBN 978-626-396-014-5　　　Printed in Taiwan